萬華
卷夏
华夏万卷
让人人写好字

U0112818

楷书
KAISHU RUMEN 田英章 书
入门
升级版
V2.0
全套新增1100节
视频微课

实战训练

上海交通大學出版社
SHANGHAI JIAO TONG UNIVERSITY PRESS

图书在版编目（CIP）数据

楷书入门. 实战训练：升级版 / 田英章书. —上海：
上海交通大学出版社，2018（2021 重印）
（华夏万卷）
ISBN 978-7-313-20508-7

Ⅰ.①楷… Ⅱ.①田… Ⅲ.①硬笔字-楷书-法帖
Ⅳ.①J292.12

中国版本图书馆 CIP 数据核字（2018）第 267379 号

楷书入门　实战训练（升级版）
KAISHU RUMEN　SHIZHAN XUNLIAN(SHENGJI BAN)
田英章　书

出版发行：上海交通大学出版社
地　　址：上海市番禺路 951 号
邮政编码：200030
电　　话：021-64071208
印　　刷：成都蜀望印务有限公司
经　　销：全国新华书店
开　　本：880mm×1230mm　1/16
印　　张：9
字　　数：72 千字
版　　次：2018 年 12 月第 1 版
印　　次：2021 年 1 月第 4 次印刷
书　　号：ISBN 978-7-313-20508-7/J
定　　价：22.00 元

目　录

名家书写示范

笔画是组成汉字的最小单位，是汉字构造的基础。不熟悉基本笔画的形状、形态，不掌握基本笔画的行笔方法，汉字书写也就无从谈起。因此，我们要写好汉字，首先必须写好基本笔画。楷书中的基本笔画除点、横、竖、撇、捺、折、钩、提这八种之外，还有一些变化及组合笔画，都需要书写者持之以恒地练习，以达到熟练掌握的程度。

笔画	名称	例字
	长横	上
	短横	王
	垂露竖	非
	悬针竖	申
	斜撇	人
	长撇	左
	竖撇	用
	正捺	丈
	平捺	走
	右点	主
	左点	小

笔画	名称	例字
	短提	玩
	长提	刁
	竖提	民
	横折	口
	竖折	山
	横钩	军
	竖钩	扛
	斜钩	戈
	卧钩	心
	弯钩	子
	竖弯钩	扎

笔画	名称	例字
	横折弯	朵
	横折钩	司
	横折提	计
	横折折折钩	乃
	横折斜钩	风
	横折弯钩	九
	横撇	又
	横折折撇	及
	撇折	么
	撇点	女
	竖折折钩	与

岁次丙戌仲秋上浣

爽气西来云雾扫开天地憾

大江东去波涛洗尽古今愁

田英章学字于北京

岁次丙戌立冬前三日

风声雨声读书声声声入耳

家事国事天下事事事关心

田英章於北京

对联　对联又称楹联，书写内容对偶工整，多为单行，书写体势、风格要统一。

名家书写示范

温故知新：楷书偏旁速览

偏旁由基本笔画组合而成，具有极高的稳定性，是汉字的重要组成部分。偏旁可以位于汉字的不同位置，如在字左、字右、字底、字头、字外、字心。位置不同，其大小、形态和写法也有所不同。因此我们除了要写好偏旁本身，还要学习如何让它和与之组合的部分搭配得当，协调自然。

同一偏旁在不同位置的不同写法

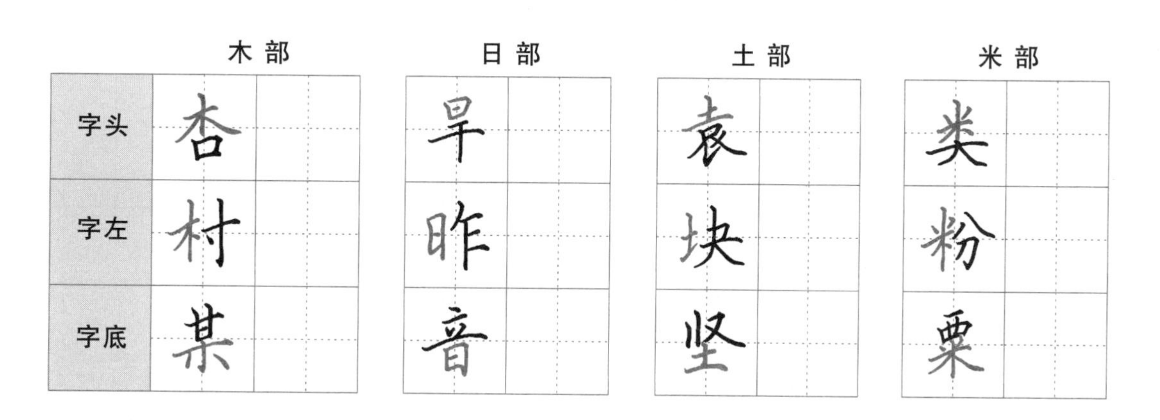

辛苦遭逢起一经干
戈寥落四周星山河
破碎风飘絮身世浮
沉雨打萍惶恐滩头
说惶恐零丁洋里叹
零丁人生自古谁无
死留取丹心照汗青
时在丙戌仲冬上浣日写於北京琴书阁田英章

斗方 斗方是长、宽相等的正方形作品形式，形不宜大，适合书写小幅的作品。本作品正文为一首七言律诗，写在方格之中，整幅作品显得极为工整。落款写于通栏中，字号要小于正文。

大江东去浪淘尽千
古风流人物故垒西
边人道是三国周郎
赤壁乱石穿空惊涛
拍岸卷起千堆雪江
山如画一时多少豪
杰遥想公瑾当年小
乔初嫁了雄姿英发
羽扇纶巾谈笑间樯
橹灰飞烟灭故国神
游多情应笑我早生
华发人生如梦一尊
还酹江月
右录苏东坡赤壁怀古时在
丙戌仲冬于北京田英章

横幅 作品形式为横式，横向长，竖向短。注意左右的留空要大于上下的留空，一般从右向左竖写。

高频汉字强化练习

目前我国汉字的总数已超过 8 万，但是，其中绝大部分，既不常见，也不常用。根据有关部门的统计，其中 100 个字，就可覆盖应用文字的 40%。而且，这些常用汉字涉及到汉字书写的各种类型，只要掌握这些字的书写方法，写出漂亮的楷书就不再是难事。下面我们来练习 100 多个最常用的高频汉字。

的	的	的			一	一	一		
国	国	国			在	在	在		
人	人	人			了	了	了		
有	有	有			中	中	中		
是	是	是			年	年	年		
和	和	和			大	大	大		
业	业	业			不	不	不		
为	为	为			发	发	发		
会	会	会			工	工	工		
经	经	经			上	上	上		
你	你	你			里	里	里		
每	每	每			常	常	常		

名家书写示范

单字精讲

里

1. 横画间距相等，横略上斜，末横长直托上。
2. 竖画位于竖中线上。

举一反三

横画左低右高

书写横画时稍微右上斜，不可太夸张。如果字中或下方有一个长横，那么这笔长横就要稍平一些，才能平衡字的整体结构；一个字中若有两个以上的横画，间距要基本相等。

妄	妄
再	再
浑	浑

水陆草木之花可爱者甚蕃晋陶渊
明独爱菊自李唐来世人盛爱牡丹
予独爱莲之出淤泥而不染濯清涟
而不妖中通外直不蔓不枝香远益
清亭亭净植可远观而不可亵玩焉
予谓菊花之隐逸者也牡丹花之富
贵者也莲花之君子者也噫菊之爱
陶后鲜有闻莲之爱同予者何人牡
丹之爱宜乎众矣

田英章学字

中堂 这类作品大多挂于厅堂正中。中堂一般竖向布局，长大于宽，呈长方形，偶有正方形或横式布局。钢笔书法作品受成品和笔触粗细的限制，中堂比较少见。

名家书写示范

单 字 精 讲

来

1.两横平行，横画上斜，下横不宜写得过长；竖画为垂露，居中线，被中横从中间均分。

2.下方撇捺伸展，收笔处撇低捺略高。

举 一 反 三

竖画要挺拔有力

竖画在字中起支柱作用，竖画有垂露竖和悬针竖两种。垂露竖末端似露珠，悬针竖上粗下尖，末端出锋。竖不直，则字不正，但竖并非要绝对垂直，而是要写出挺拔有力之感。

开	开
牛	牛
仙	仙
朴	朴
刑	刑

花褪残红青杏
小燕子飞时绿水人
家绕枝上柳绵吹又少
天涯何处无芳草墙里秋
千墙外道墙外行人墙里
佳人笑笑渐不闻声渐
悄多情却被无情恼
乙酉仲秋田英章书

扇面　扇面常见的有折扇和团扇两种，因其外形不规整，章法布局也有所不同。折扇常采用长行、短行相间隔的布局方式；团扇每行长短不一，其首、尾的位置随圆弧而变化。

名家书写示范

单字精讲

企

1. 撇在竖中线上起笔，撇捺伸展覆盖下方，收笔处捺脚稍高。
2. 下方两短竖平行，第一竖起笔于竖中线上，左短右长；短横接右竖中部；末横稍长，承托上方。

举一反三

撇画与水平面呈45°角，捺画要平稳着陆

写撇画就像溜滑梯，慢慢向左下行笔，直中有弯，略带弧度。捺画一般与撇画对称，书写的关键在于：临近末端时要改变行笔方向，平向出锋。

学 学 学 报 报 报 变 变
第 第 第 然 然 然 废 废
样 样 样 子 子 子 玫 玫
给 给 给 她 她 她 奈 奈
之 之 之 也 也 也 败 败

作品章法讲解

书法作品创作

打好楷书笔画、偏旁、结构的基础后，我们可以尝试创作硬笔楷书书法作品。在书法创作中，因各种字体的特点不同，要采取不同的格式来表现审美意趣。

常用的形式主要有两种：一是纵横成行，它是指书法作品横竖是对正的。这种形式一般适宜写楷书，显得严肃端庄，整齐美观；二是有行无列，它是指作品纵有行，横无列。这种章法打破了横格的束缚，因此就要特别注意每一列中上下字之间的关系和行气的流贯。行书大多采用这种格式，有时楷书也采用这种格式。常见的书法作品格式有横幅、条幅、扇面、对联等，下面我们分别进行介绍。

竹外桃花三两枝
春江水暖鸭先知
蒌蒿满地芦芽短
正是河豚欲上时
苏东坡诗 乙未初夏田英章

月落乌啼霜满天
江枫渔火对愁眠
姑苏城外寒山寺
夜半钟声到客船
枫桥夜泊 存卿田英章学字

条幅　条幅又称竖幅，为竖式作品形式，其长度是宽度的2倍或2倍以上。本作品为竖式，从右至左竖写，注意落款的位置。

名家书写示范

单字精讲

高

1.点居竖中线，点横分离。口部扁方，两个“口”上下对正。

2.下方两竖内收，左竖短，竖钩稍长，出钩短小有力。

举一反三

钩画像匕首
钩身短小

钩画不是一种独立的笔画，必须依附在横、竖等笔画上。钩有竖钩、斜钩、卧钩、弯钩等。书写时要出钩有力，切忌软弱无力。注意出钩的长短，不宜过长。

已矣乎！寓形宇内复几时？曷不委心任去留？

胡为乎遑遑欲何之？富贵非吾愿，帝乡不可期。怀

良辰以孤往，或植杖而耘耔。登东皋以舒啸，临清

流而赋诗。聊乘化以归尽，乐夫天命复奚疑！

新手练字
诀窍 14

一个字中重复出现相同的笔画，应该怎样写才美观？

重撇宜错落有致

一字之中，如果有多个撇画，则应注意要有变化。撇与撇的间距应基本均匀，但撇尖角度和指向要不同，且要有长短变化，鳞羽参差，以显得错落有致。切忌写成排牙之状、车轨之形，若撇画长短、指向完全一致，就会显得呆板无生气。

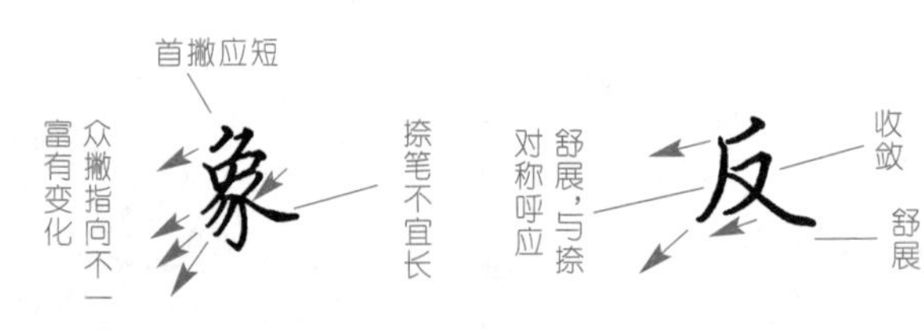

重捺的化简或避让

捺画在字中一般都比较出彩，一字之中有两个捺画时，若它们同时突出，又不能相互呼应的话，会影响一个字的整体美观。所以一般要进行化简或避让，保留其中起关键作用的捺画（主笔），而将剩下的改写为反捺，如此一主一辅，方能和谐生姿。

重钩宜化减

如果一个字中出现了多个钩画，那么一般情况下钩画需要化简，或者一主一辅，有所区别。书写时，主要钩画应写得舒展，而次要钩画则应收敛。

1.起笔写短横,角度稍上斜;短撇起笔于横画三分之一处。

2.下方整体形扁,左右两竖内收,横折钩折角处注意顿笔;各横画注意间距相等,竖距匀称。

折画像膝盖
健壮有力

折画是由两个笔画组成的,转折处要有棱角,显得健壮有力。折画主要有横折、竖折、撇折等。写折画时,折角宜方不宜圆,不能转成圆弧状。书写时要一气呵成,不要断开。

自酌，眄庭柯以怡颜。倚南窗以寄傲，审容膝之易

安。园日涉以成趣，门虽设而常关。策扶老以流憩，

时矫首而遐观。云无心以出岫，鸟倦飞而知还。景

翳翳以将入，抚孤松而盘桓。

归去来兮，请息交以绝游。世与我而相违，复

驾言兮焉求？悦亲戚之情话，乐琴书以消忧。农人

告余以春及，将有事于西畴。或命巾车，或棹孤

舟。既窈窕以寻壑，亦崎岖而经丘。木欣欣以向荣，

泉涓涓而始流。善万物之得时，感吾生之行休。

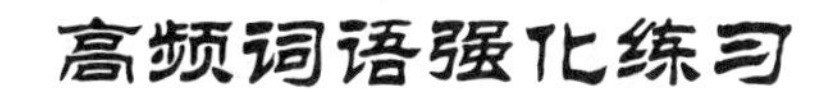

高频词语强化练习

下面是我们根据使用频率从《现代汉语常用词表》中精选出的一些二字词语，希望大家能熟练掌握。在方格中书写词语时，字应居于方格中心，不宜过高或过低，字的重心控制在方格的中心上。还要注意两个字之间的搭配，尽量做到大小协调，同时还要注意两个字之间的间距与呼应。

范字	描红	练习	范字	描红	练习
我们	我们		他们	他们	
什么	什么		起来	起来	
时候	时候		自己	自己	
发展	发展		社会	社会	
同志	同志		革命	革命	
国家	国家		生活	生活	
没有	没有		生产	生产	
这样	这样		人民	人民	
劳动	劳动		知道	知道	
可以	可以		主要	主要	
爱护	爱护		昂贵	昂贵	
轻松	轻松		严格	严格	

名家书写示范

单字精讲

革

1. 上部上横稍长于下横，两竖向内收；口部形扁，居横中线上方。
2. 下部长横作为字中主笔，舒展大方，稍上斜，注意各横画间的间距均匀；竖画写在竖中线上。

举一反三

重点练习字中的主笔

许多字中总有一个笔画特别舒展，有“画龙点睛”的妙用，我们称之为“主笔”。比如长横、长撇、竖弯钩等，这个最出彩的笔画写好了，字就成功了一半，对这类笔画要重点练习。

范字	描红
半	半
君	君
皂	皂

时人，录其所述，虽世殊事异，所以兴怀，其致一

也。后之览者，亦将有感于斯文。

归去来兮辞　　[东晋] 陶渊明

归去来兮，田园将芜胡不归？既自以心为形

役，奚惆怅而独悲？悟已往之不谏，知来者之可追。

实迷途其未远，觉今是而昨非。舟遥遥以轻飏，风

飘飘而吹衣。问征夫以前路，恨晨光之熹微。

乃瞻衡宇，载欣载奔。僮仆欢迎，稚子候门。三

径就荒，松菊犹存。携幼入室，有酒盈樽。引壶觞以

地方 地方
出来 出来
已经 已经
工作 工作
可是 可是
这些 这些
怎样 怎样
看见 看见
许多 许多
世界 世界
但是 但是
人们 人们
大家 大家
孩子 孩子
就是 就是
现在 现在
因为 因为
东西 东西
怎么 怎么
中国 中国
食物 食物
保暖 保暖
公正 公正
榜样 榜样
民生 民生
保鲜 保鲜
办理 办理
便利 便利
名家书写示范
单字精讲
国
1.字形整体长方，横短竖长；外框左竖短，右竖长。
2.内部居中，不与外框相连接，竖画定位竖中线。
举一反三
方形框宜方正
“门”“冂”“口”都属于方形框，整个框形应写成长方形，宜上下等宽。框内部分不宜过大，且位置稍靠上，四周留白，切忌上部留空过多。
圈 圈
围 围
囚 囚
困 困
囱 囱

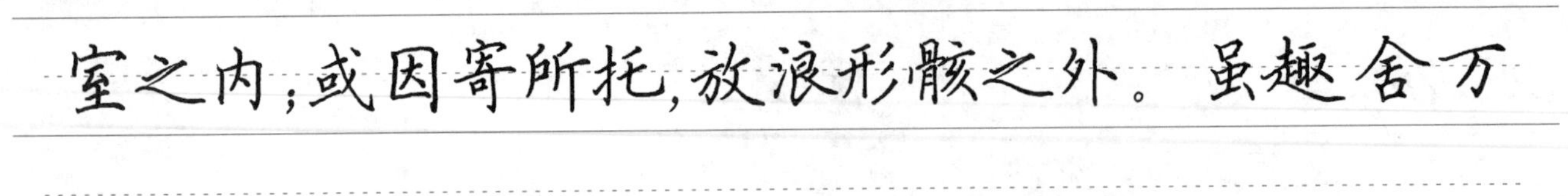

室之内；或因寄所托，放浪形骸之外。虽趣舍万殊，静躁不同，当其欣于所遇，暂得于己，快然自足，不知老之将至；及其所之既倦，情随事迁，感慨系之矣。向之所欣，俯仰之间，已为陈迹，犹不能不以之兴怀，况修短随化，终期于尽！古人云："死生亦大矣。"岂不痛哉！

每览昔人兴感之由，若合一契，未尝不临文嗟悼，不能喻之于怀。固知一死生为虚诞，齐彭殇为妄作。后之视今，亦犹今之视昔，悲夫！故列叙

学习 学习
科学 科学
进行 进行
情况 情况
经济 经济
之间 之间
时间 时间
需要 需要
所以 所以
全国 全国
专业 专业
和平 和平
统一 统一
毕业 毕业
问题 问题
关系 关系
工人 工人
重要 重要
作用 作用
它们 它们
农民 农民
思想 思想
我国 我国
要求 要求
表白 表白
测验 测验
缠绕 缠绕
厕所 厕所
名家书写示范
单字精讲
要
1.整体上窄下宽，上收下放。首横较短，竖画与折画内收，竖距匀称。
2.女字底撇短点长，次撇有弧度，横画最长，承托上部。另外注意多横等距。
举一反三
注意笔顺及末笔变化
书写火部和女部时，要注意由部首的位置来确定末笔的变化。火部作字旁时，末捺应改写为右点，以让右部，笔顺为先写左右两点，再写撇捺。女部作字旁时末横要改写为提，以启右部，形体不宜宽。
煤 煤
焰 焰
焚 焚
妹 妹
姓 姓

古代散文名篇

兰亭集序

[东晋] 王羲之

永和九年,岁在癸丑,暮春之初,会于会稽山阴之兰亭,修禊事也。群贤毕至,少长咸集。此地有崇山峻岭,茂林修竹,又有清流激湍,映带左右,引以为流觞曲水,列坐其次,虽无丝竹管弦之盛,一觞一咏,亦足以畅叙幽情。是日也,天朗气清,惠风和畅。仰观宇宙之大,俯察品类之盛,所以游目骋怀,足以极视听之娱,信可乐也。

夫人之相与,俯仰一世。或取诸怀抱,悟言一

1. 左耳旁横撇弯钩上扬下坠，竖画长直；右部撇捺伸展，收笔处大致齐平。

2. 整体左窄右宽，左长右短，左右顶部齐平，右部靠上。

包耳要根据位置来确定大小

包耳的写法及大小一般要根据左右位置的不同来决定。当包耳在左时，耳钩应写得小巧；而当包耳在右时，耳钩则应写大。居右的包耳在字中的位置一般比居左的包耳稍低。

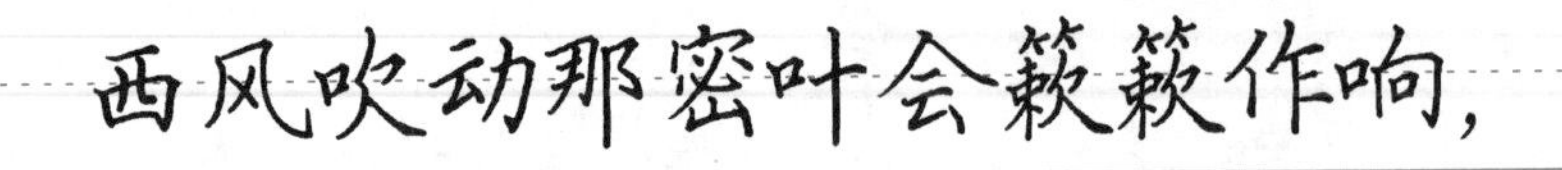

西风吹动那密叶会簌簌作响，

就在这潺潺的小溪旁，我的七弦琴

会催你合上眼皮，进入睡乡。

自由与爱情　　[匈牙利]裴多菲

生命诚可贵，爱情价更高。

若为自由故，两者皆可抛。

Booom

新手练字诀窍 13

练了很多字，还是写不好字是什么原因？

学书不要贪多，不要见异思迁，常换书体，也不要没有重点地一遍一遍地“抄”帖，须知“贪多嚼不烂”是很多人在书法学习中都容易犯的一个错误。如果不能将每一个单字研究透彻，便不能使自己的认知上升到一个较高的层面，也永远不会使自己的书法审美达到一个应有的高度。心中没有这个高度，手下也“蒙”不出这个高度，“心悟手从”便是这个道理。

要做到举一反三、举一反百，以点带面、以少带多，步步为营、各个击破。先将几个字写好，使这几个字率先写得高于其他字的水平，先领略一下这种高度的“风光”，在自己的心中形成一个标准和尺度，然后再由这几个字扩展开来，逐一攻克其他字。这样，我们就知道了其他字和写得较好的字的差距，当意识到了这个差距，自己也就有了缩短这个差距的眼力和办法。

以及
影响
其中
先生
完全
继续
之后
参加
能够
上海
经过
非常
甚至
一直
代表
领导
发生
可能
北京
目前
坐下
昌盛
客观
潮流
共同
诚实
操场
初级
名家书写示范
单字精讲
客
1. 上部宝盖头较扁宽。点画居中线，横钩稍展。
2. 下方撇捺伸展，覆盖下方；口部扁平，两竖内收。
举一反三
"口"要写成略扁的倒梯形
很多人都把"口"字写成正方形，但是为了美观，可以把正方形改成倒立的梯形，口部两侧的竖画呈"倒八字"形，注意上下横画仍要保持右上斜的原则。
吴
另
咬
哇
哲

葬我　朱湘

葬我在荷花池内，耳边有水蚓拖声，

在绿荷叶的灯上　萤火虫时暗时明——

葬我在马缨花下，永做着芬芳的梦——

葬我在泰山之巅，风声呜咽过孤松——

不然，就烧我成灰，投入泛滥的春江，

与落花一同漂去无人知道的地方。

乡间的音乐　[古希腊]柏拉图

你来坐在这棵童童的松树下，

高频成语强化练习

书写四字成语要比二字词语难度大一点，要求四个字大小适宜，间距一致，尤其注意重心要在一条水平线上。字与字的间距不宜过大，也不能过密。

哀鸿遍野　哀鸿遍野

安步当车　安步当车

安土重迁　安土重迁

嗷嗷待哺　嗷嗷待哺

筚路蓝缕　筚路蓝缕

抱残守缺　抱残守缺

白驹过隙　白驹过隙

杯弓蛇影　杯弓蛇影

杯水车薪　杯水车薪

别无长物　别无长物

与时俱进　与时俱进

光明磊落　光明磊落

名家书写示范

单字精讲

鸿

1. 左部三点水呈弧形，中间部分较小，居竖中线左侧，为右部让出空间。
2. 右部“鸟”第一笔是短撇，横折钩中横短折画长，竖折折钩第二折内收，末横左伸。

举一反三

点与点之间相互呼应

一字之中有多个点的时候，点画的配合尤为重要，应该彼此呼应，顾盼通变，各具情态，首尾意连。如果点与点之间缺少呼应，字就会显得平直死板，状如算子。

羽　羽

汴　汴

溪　溪

可惜已是岁晚了，

大漠中有倦行的骆驼

哀咽，空想像潭影而昂首。

乃自慰于一壁灯光之温柔，

要求卜于一册古老的卷帙，

想有人在远海的岛上

伫立，正仰叹一天星斗。

新手练字诀窍 12

练字需要每天不间断地练习吗？想同时练多种字体可以吗？

首先，练字是个长期的过程，要注意调节心情。练字的时候要心平气和，善始善终。如果心平气和，则能静下心来认真练字；如果心烦意乱，沉不住气，则毫无效果可言。其次，不要轻易变换字体。练字要有恒心和毅力。练字不能靠一时的冲动和喜欢，而要逐渐培养自己的书写兴趣，不能一写就没完没了，而后又数天不动笔。一曝十寒、时断时续的做法是无法练好字的。

练习者应坚持每天临摹，不可断断续续、时多时少、贪多求快、浮光掠影地练习，上述不好的练字习惯是达不到长期记忆的效果的。须知：一日练，一日功，一日不练十日空。同时，要取得好效果，定量很重要，宁少毋多，少则得，多则惑。

不足挂齿 不足挂齿

不可理喻 不可理喻

不胫而走 不胫而走

不负众望 不负众望

得陇望蜀 得陇望蜀

登堂入室 登堂入室

顶礼膜拜 顶礼膜拜

东山再起 东山再起

豆蔻年华 豆蔻年华

对簿公堂 对簿公堂

多事之秋 多事之秋

耳濡目染 耳濡目染

耳熟能详 耳熟能详

直抒胸臆 直抒胸臆

名家书写示范

单字精讲

楼

1.字形整体左收右放。左部“木”长竖交短横偏右处，捺画变点，在竖画中部起笔。

2.上部“米”较窄，下部“女”字扁宽，撇短点长，横画长直、托上，上下对正。

举一反三

练好左右结构的字

在现代汉字中，左右结构类型的字占65%，是汉字里最常见的一种结构形式。左右结构的字有几种配合技巧：左收右放，左斜右正，对等平分，左右对称，斜抱穿插。

秒 秒

劲 劲

乳 乳

削 削

疏 疏

你记得也好，最好你忘掉，

在这交会时互放的光亮！

天真的预示　　[英国]布莱克

一颗沙里看出一个世界，

一朵野花里一座天堂，

把无限放在你的手掌上，

永恒在一刹那里收藏。

灯　下　　李广田

望青山而垂泪，

感同身受	感同身受	
高屋建瓴	高屋建瓴	
革故鼎新	革故鼎新	
各行其是	各行其是	
狗尾续貂	狗尾续貂	
功亏一篑	功亏一篑	
故步自封	故步自封	
光怪陆离	光怪陆离	
管窥蠡测	管窥蠡测	
鬼斧神工	鬼斧神工	
过眼云烟	过眼云烟	
海市蜃楼	海市蜃楼	
邯郸学步	邯郸学步	
少安勿躁	少安勿躁	

名家书写示范

单字精讲

齿

1.上方形态舒展。两短竖左低右高，长横舒展托上。

2.下方整体紧凑。竖折中竖短折长，折画上斜；右竖略长；中部“人”小靠上。

举一反三

练好上下结构的字

汉字里另一种常见的结构形式是上下结构，这类字约占现代汉字总量的21%。上下结构的字也有几种配合技巧：上收下展，上展下收，下方迎就，上正下斜，上斜下正。

轰	轰
明	明
枣	枣
惠	惠
贷	贷

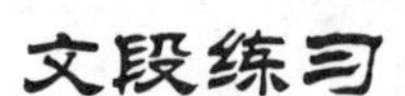

文段练习

本节精选现代优美诗歌和古代散文名篇进行练习。在书写文段时，要想把字写得生动活泼，行云流水，呼应二字是十分重要的。笔画间讲究呼应，句子的开头和末尾也讲究呼应，这样的写法是为了避免呆板和堆砌现象。同时，要注意正确地使用标点，使篇章整齐、美观。书写篇章时，不能看一个字写一个字，应当看准一句，接连不停地写下去。这样才能使字序整齐，气韵丰满。

现代优美诗歌

偶　然　　　徐志摩

我是天空里的一片云，

偶尔投影在你的波心——

你不必讶异，更无须欢喜——

在转瞬间消灭了踪影。

你我相逢在黑夜的海上，

你有你的，我有我的方向，

名家书写示范

单字精讲

问

1.书写时先外后内，整体长方。门字框的点画夹中间，竖画直挺，收笔处竖高钩低。
2.内部“口”方正，略靠上。

举一反三

练好包围结构的字

包围结构的字可以分为全包围结构和半包围结构。全包围结构的字，书写技巧主要是围而不堵；而半包围结构的字，书写技巧要分为几种情况讨论：上包下、下包上、左包右、左上包、左下包、右上包。

围 围
凹 凹
匝 匝
度 度
逛 逛

描写离别的诗词名句

春草明年绿，王孙归不归？ （王维）

故人西辞黄鹤楼，烟花三月下扬州。 （李白）

去年花里逢君别，今日花开已一年。 （韦应物）

劝君更尽一杯酒，西出阳关无故人。 （王维）

桃花潭水深千尺，不及汪伦送我情。 （李白）

老来情味减，对别酒，怯流年。 （辛弃疾）

醉别西楼醒不记，春梦秋云，聚散真容易。 （晏几道）

丈夫非无泪，不洒离别间。 （陆龟蒙）

新手练字诀窍 11

有些字笔画难写，但只要写长了，就写好了。把写字当玩的时候就写不好，关键是把它摆在什么位置。书法是最讲良心的东西。你对它下一分功夫，它就回报你一分。这和做人有所不一样，有的人不论你对他多么好，多么温暖，他都有可能恩将仇报。但艺术不一样，艺术是最讲良心的。

名家书写示范

单字精讲

盟

1.“日”略小，“月”稍大，上部分居竖中线两侧；下部“皿”两侧竖画内收，横长托上。
2.“盟”字下部托上，书写时上部紧凑，下部伸展。

举一反三

三部分组成的字各部要相互呼应

由三个部分组合而成的字，应注意避就相迎，浑然一体。切忌互不相让，各成一部，使字显得肥大粗重。书写这类字的关键是要知道哪个部分为主，哪个部分为辅。

随 随
翔 翔
燕 燕
辮 辮
婴 婴

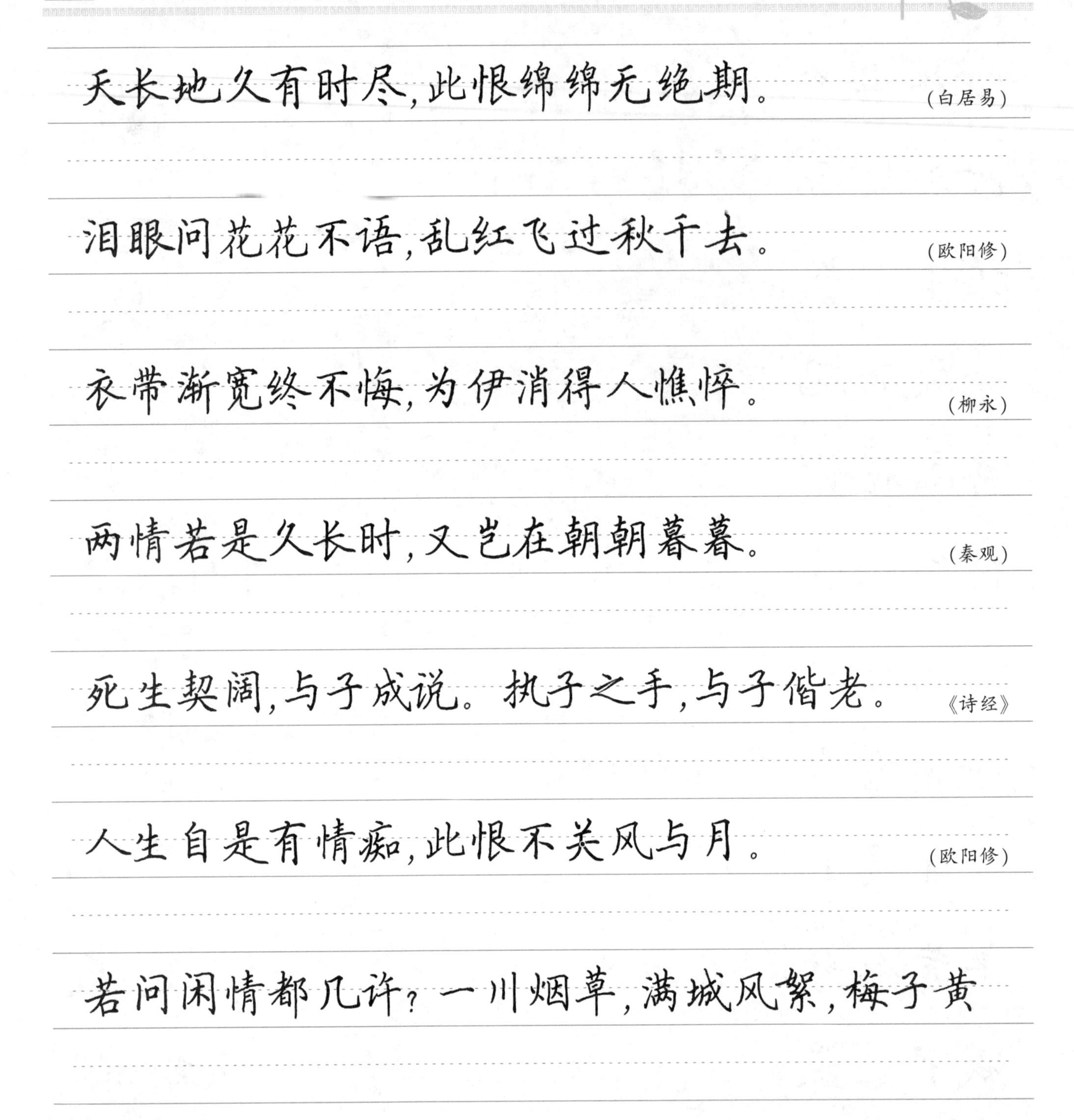

Booom

新手练字诀窍 10

学字不要贪多。有的人写了很多诗词书法，拿给我看，结果一个字都不对，有什么用？我这是说真话。说真话往往听了很不舒服，但我必须说实话，不能骗你，那样没有好处。因此千万不要贪多。我小时候，老父亲就教我写八个字，一直写了若干年。

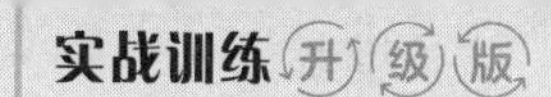

句子练习

本节精选诗词名句并分门别类，方便大家学习引用。在横线上书写句子时应注意：字的大小适当，字与字之间要留有空隙，且各个字的间距要大致相同；行与行之间不能太密，行间距要大于字间距；每行开头第一个字的位置要统一。另外，还要注意标点符号的位置，要与字脚持平。这样书写出来的内容更容易认读，整体效果也整齐匀称、清楚明了，能给人很好的视觉享受。

描写云的诗词名句

明月出天山，苍茫云海间。 (李白)

众鸟高飞尽，孤云独去闲。 (李白)

只在此山中，云深不知处。 (贾岛)

野径云俱黑，江船火独明。 (杜甫)

月下飞天镜，云生结海楼。 (李白)

行到水穷处，坐看云起时。 (王维)

荡胸生层云，决眦入归鸟。 (杜甫)

描写爱情的诗词名句

情人怨遥夜，竟夕起相思。(张九龄)

愿得一心人，白头不相离。(汉乐府)

玲珑骰子安红豆，入骨相思知不知。(温庭筠)

欲把相思说似谁，浅情人不知。(晏几道)

还君明珠双泪垂，恨不相逢未嫁时。(张籍)

取次花丛懒回顾，半缘修道半缘君。(元稹)

只愿君心似我心，定不负相思意。(李之仪)

多情自古伤离别，更那堪，冷落清秋节！(柳永)

Booom

新手练字诀窍 9

要学会看帖读帖，眼睛要学得尖一些，“贼”一点，要掌握法度。笔画少的字要写小，笔画多的字要写细。写不好不是大问题，但不看帖就写是大问题。既不看帖，又写不好就什么问题也不是了，也无法谈问题了。书法一定要讲法，讲道，因为这是一种学问。

千里黄云白日曛，北风吹雁雪纷纷。(高适)

朝辞白帝彩云间，千里江陵一日还。(李白)

远上寒山石径斜，白云生处有人家。(杜牧)

黄河远上白云间，一片孤城万仞山。(王之涣)

瀚海阑干百丈冰，愁云惨淡万里凝。(岑参)

曾经沧海难为水，除却巫山不是云。(元稹)

云想衣裳花想容，春风拂槛露华浓。(李白)

闲云潭影日悠悠，物换星移几度秋。(王勃)

新手练字诀窍 1

起笔定位：就是做到第一笔写的位置要正确。初学一个字时，首先要看所写的字是独体字还是合体字，然后根据不同的字，可分为上部定位，如“不”；左部定位，如“日”；中部定位，如“小”。

上部定位

左部定位

中部定位

日出江花红胜火，春来江水绿如蓝。（白居易）

不是花中偏爱菊，此花开尽更无花。（元稹）

沾衣欲湿杏花雨，吹面不寒杨柳风。（志南）

相见时难别亦难，东风无力百花残。（李商隐）

朱雀桥边野草花，乌衣巷口夕阳斜。（刘禹锡）

莫道不销魂，帘卷西风，人比黄花瘦。（李清照）

稻花香里说丰年，听取蛙声一片。（辛弃疾）

无可奈何花落去，似曾相识燕归来。（晏殊）

新手练字诀窍 8

调和原则是指将笔画、部件中的变化统一于字内，使其和谐相处，共同体现出结构之美。调和的方法有：1. 笔画的风格统一。楷书笔法里不要夹杂隶书、草书等其他笔法，以免写出的字不伦不类。2. 点画呼应。要将楷书写得灵动飞扬、神采奕奕，就要注意笔势往来，点画呼应，彼此顾盼。3. 各部件彼此容让穿插。如左右结构的"炒"字，"火"的末笔变捺为点以避右，"少"的长撇伸展，插入左下方的空隙处。这样，左右两部显得紧凑而有精神。

描写月的诗词名句

明月松间照，清泉石上流。（王维）

露从今夜白，月是故乡明。（杜甫）

海上生明月，天涯共此时。（张九龄）

可怜九月初三夜，露似真珠月似弓。（白居易）

湖光秋月两相和，潭面无风镜未磨。（刘禹锡）

云中谁寄锦书来？雁字回时，月满西楼。（李清照）

春花秋月何时了？往事知多少。小楼昨夜又东风，故国不堪回首月明中。（李煜）

新手练字诀窍 2

顿笔是“提按”技法中的“按”，一般用在字的转折处或一个字的起笔处。将笔锋下按并稍作停笔，这样笔锋接触纸的力道重，注墨也多，顿处的笔画则显得圆润。一般来说，正确的顿笔必须符合以下条件：1. 不破坏笔画的原貌。2. 顿笔要一次写成，不能反复地涂描。

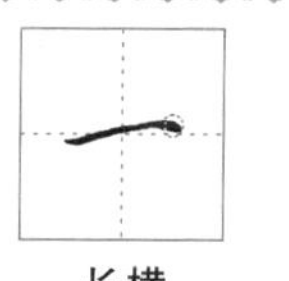
长横

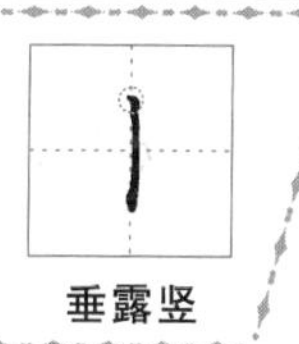
垂露竖

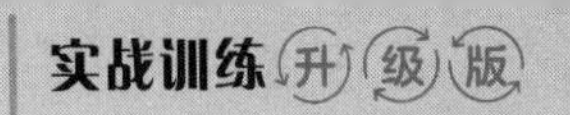
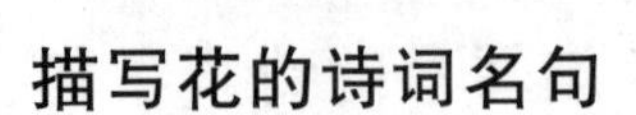

描写花的诗词名句

待到重阳日，还来就菊花。（孟浩然）

花间一壶酒，独酌无相亲。（李白）

春来茗叶还争白，腊尽梅梢尽放红。（韩元吉）

感时花溅泪，恨别鸟惊心。（杜甫）

曲径通幽处，禅房花木深。（常建）

黄四娘家花满蹊，千朵万朵压枝低。（杜甫）

西塞山前白鹭飞，桃花流水鳜鱼肥。（张志和）

我家洗砚池头树，朵朵花开淡墨痕。（王冕）

新手练字诀窍 7

楷书因其笔画规整，要求字的每个笔画都要保留其固有形态。这样起笔、顿笔的次数增多，书写速度自然就降低了。要想提高书写速度，就要提高书写的熟练程度，控制好行笔距离，同时还要控制好时间，如果练习时间太长，练习效率反而会变低。因此，可以把时间化整为零，比如估计要用 1 小时完成的练习，可以把这一小时分成 3 个“20 分钟”，每个“20 分钟”一结束，就休息 5 或 10 分钟，这样更能保证练习效果。

描写风的诗词名句

夜来风雨声,花落知多少。(孟浩然)

城阙辅三秦,风烟望五津。(王勃)

夜来南风起,小麦覆陇黄。(白居易)

锦城丝管日纷纷,半入江风半入云。(杜甫)

九曲黄河万里沙,浪淘风簸自天涯。(刘禹锡)

夜阑卧听风吹雨,铁马冰河入梦来。(陆游)

明月别枝惊鹊,清风半夜鸣蝉。(辛弃疾)

昨夜西风凋碧树,独上高楼,望尽天涯路。(晏殊)

新手练字诀窍 3

一些字有两个或两个以上的钩画时,要注意出钩的大小及方向变化。如:为突出主笔,"导"字第一个钩收敛,第二个钩则舒展大方,其目的就是为了突出第二个钩,形成主次的对比。

描写山的诗词名句

采菊东篱下，悠然见南山。（陶渊明）

会当凌绝顶，一览众山小。（杜甫）

不识庐山真面目，只缘身在此山中。（苏轼）

千里莺啼绿映红，水村山郭酒旗风。（杜牧）

咬定青山不放松，立根原在破岩中。（郑燮）

千锤万凿出深山，烈火焚烧若等闲。（于谦）

寒雨连江夜入吴，平明送客楚山孤。（王昌龄）

落木千山天远大，澄江一道月分明。（黄庭坚）

新手练字诀窍6

特殊字的笔顺(二) 一字之中，当右边的笔画比左边的笔画强的时候，要先写右边，再写左边，如“力”“万”等字；当左右两边为一组组合笔画的时候(通常为相向点)，要先写这个组合，最后写中间的部分，如“火”字。写对“北”字的关键是写对右侧的“匕”，“匕”的第一笔是短撇，然后才是竖弯钩。

描写雪的诗词名句

草枯鹰眼疾，雪尽马蹄轻。 (王维)

终南阴岭秀，积雪浮云端。 (祖咏)

欲将轻骑逐，大雪满弓刀。 (卢纶)

孤舟蓑笠翁，独钓寒江雪。 (柳宗元)

欲渡黄河冰塞川，将登太行雪满山。 (李白)

窗含西岭千秋雪，门泊东吴万里船。 (杜甫)

白雪却嫌春色晚，故穿庭树作飞花。 (韩愈)

锦销文杏枝头雨，雪卷棠梨树底风。 (朱孟德)

新手练字诀窍 4

写好字要注意研究笔画的书写顺序。落笔要按照先上后下，先左后右的顺序写，哪一笔在最下面就最后写哪个笔画。但有的字可以例外，比如繁体“無”字，就要先写中间的横笔，后填竖笔。

描写水的诗词名句

竹外桃花三两枝，春江水暖鸭先知。（苏轼）

水光潋滟晴方好，山色空蒙雨亦奇。（苏轼）

抽刀断水水更流，举杯销愁愁更愁。（李白）

一道残阳铺水中，半江瑟瑟半江红。（白居易）

峨眉山月半轮秋，影入平羌江水流。（李白）

日日思君不见君，共饮长江水。（李之仪）

谁道人生无再少？门前流水尚能西，休将白发唱黄鸡。（苏轼）

新手练字诀窍5

特殊字的笔顺(一) 带点的字，点在正上方或左上方要先写点，如“门”字；点在右上方则要最后写点，如“成”字；点在其他笔画里面一般要最后写，如“叉”字。左下包围的字要先里后外，如“边”字；下包上的字，即缺口朝上的字，要先写里再写外，如“凶”字；左包右的字，要先上后里再左下，如“巨”字。